这是我的书
It's MY BOOK

6级：300字

谁家的可可

海边堆沙

原作：胡一毕（Yibi
改编：秦志宁（Zhining Chin）

北京语言大学出版社
BEIJING LANGUAGE AND CULTURE UNIVERSITY PRESS

PHOENIX TREE
PHOENIX TREE PUBLISHING INC.

识 读 玩 放 回家 拿 找到

句 型 在……

字 数 307 字

nǐ men qù guo hǎi biān ma hǎi biān zuì hǎo wánr
你们去过海边吗？海边最好玩儿
de jiù shì duī shā zi zhè shì duī shā zi de gōng
的就是堆沙子。这是堆沙子的工
jù chǎn zi xiǎo tǒng sān chǐ pá
具：铲子、小桶、三齿耙。

nà tiān yáng guāng hěn rè hěn liàng kě kě hé bà ba
那天，阳光很热很亮，可可和爸爸
lái dào hǎi biān yí huìr bà ba jiù yòng shā zi
来到海边。一会儿，爸爸就用沙子
duī le yì tiáo dà shé
堆了一条大蛇。

kě kě hěn gāo xìng wǒ lái jiā shang xiǎo bèi ké
可可很高兴："我来加上小贝壳！"
shuō zhe kě kě jiù zài shā zi li zhǎo qǐ bèi ké
说着，可可就在沙子里找起贝壳
lai bà ba shuō kě kě nǐ zài zhè li zhǎo
来。爸爸说："可可，你在这里找，
wǒ qù ná zhào xiàng jī
我去拿照相机。"

kě kě yòng sān chǐ pá zhǎo dào le hǎo duō bèi ké
可可用三齿耙找到了好多贝壳，
yòu ná qi xiǎo shuǐ tǒng dào hǎi li dǎ le yì tǒng
又拿起小水桶，到海里打了一桶
shuǐ bǎ bèi ké xǐ gān jìng rán hòu bǎ bèi ké yí
水，把贝壳洗干净，然后把贝壳一
gè yí gè de fàng zài dà shé shēn shang
个一个地放在大蛇身上。

kě kě xiǎng wǒ yào zài bà ba huí lai yǐ qián gěi
可可想：我要在爸爸回来以前，给

shé jiā shang sì tiáo tuǐ ràng bà ba duō pāi jǐ zhāng
蛇加上四条腿，让爸爸多拍几张

zhào tā ná qi xiǎo chǎn zi yòng lì de chǎn shā zi
照。她拿起小铲子用力地铲沙子，

chū le yì shēn dà hàn
出了一身大汗。

bà ba huí lai le tā gěi dà shé pāi le hěn duō zhào piàn
爸爸回来了，他给大蛇拍了很多照片。

hòu lái kě kě hé bà ba yòu duī le yí gè guó
后来，可可和爸爸又堆了一个国

wáng guó wáng de tóu shang fàng chu yì tiáo tiáo de guāng
王，国王的头上放出一条条的光。

tài yáng xià shān le kě kě hé bà ba cái huí jiā
太阳下山了，可可和爸爸才回家。

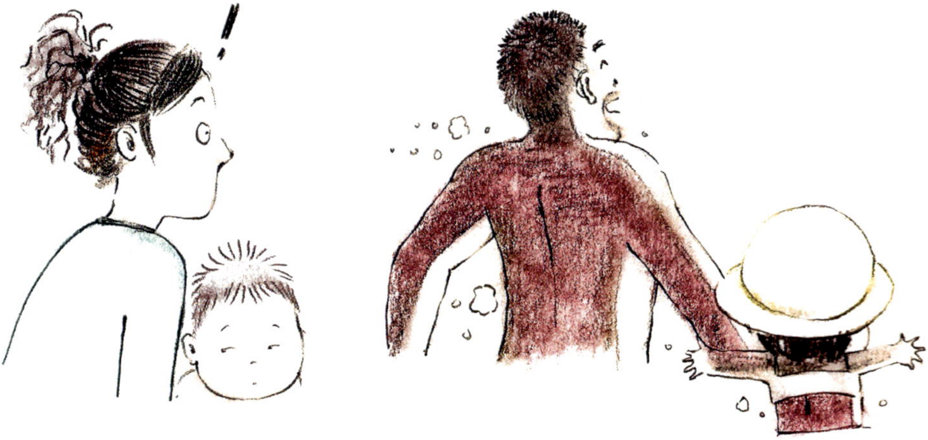

mā ma shuō nǐ men hái méi yǒu shài hēi ma zài
妈妈说："你们还没有晒黑嘛！"再
yí kàn liǎng gè rén de hòu bèi à yòu hóng yòu hēi
一看两个人的后背，啊！又红又黑。
kě kě hé bà ba zuò xia lai wǎng yǐ zi shang yí kào
可可和爸爸坐下来，往椅子上一靠：
āi yā hǎo tòng hǎo tòng zhè shì wèi shén me ne
"哎呀！好痛好痛！"这是为什么呢？

1 你们去过海边吗？海边最好玩儿的就是堆沙子。这是堆沙子的工具：铲子、小桶、三齿耙。

2 那天，阳光很热很亮，可可和爸爸来到海边。一会儿，爸爸就用沙子堆了一条大蛇。

3 可可很高兴："我来加上小贝壳！"说着，可可就在沙子里找起贝壳来。爸爸说："可可，你在这里找，我去拿照相机。"

4 可可用三齿耙找到了好多贝壳，又拿起小水桶，到海里打了一桶水，把贝壳洗干净，然后把贝壳一个一个地放在大蛇身上。

5 可可想：我要在爸爸回来以前，给蛇加上四条腿，让爸爸多拍几张照。她拿起小铲子用力地铲沙子，出了一身大汗。

6 爸爸回来了，他给大蛇拍了很多照片。后来，可可和爸爸又堆了一个国王，国王的头上放出一条条的光。太阳下山了，可可和爸爸才回家。

7 妈妈说："你们还没有晒黑嘛！"再一看两个人的后背，啊！又红又黑。可可和爸爸坐下来，往椅子上一靠："哎呀！好痛好痛！"这是为什么呢？

1

2

3

4

5

6

7

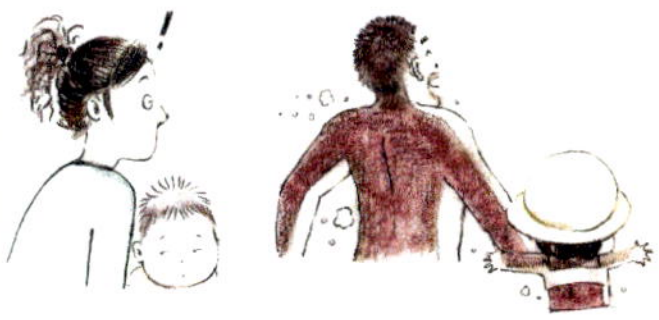